- Collection "Nocturnes Théâtre" -

186

L'auteure, Marilyn Perreault

Formée en interprétation à l'Option-Théâtre du Cégep de Saint-Hyacinthe, Marilyn Perreault a fait ses premières armes comme comédienne au sein de la compagnie Dynamo Théâtre où elle a également collaboré à l'écriture de *Faux Départs*.

Fortement intéressée à explorer l'impact des images et du mouvement au théâtre, elle a cofondé en 2002, avec Annie Ranger, le Théâtre I.N.K. qui a créé en 2003 son premier texte *Les Apatrides*. Cette production, présentée en 2005 au Festival de Théâtre des Amériques, a obtenu le "Masque révélation de l'année" pour l'audace et la réussite de sa proposition théâtrale.

Artiste multidisciplinaire, Marilyn Perreault a collaboré, en tant que comédienne-acrobate, à la création en 2005 de *L'auguste Kermesse* avec l'ensemble TUYO (musique contemporaine sur instruments inventés). Puis, en 2006, comme auteure au spectacle pour enfants de cette même compagnie : *Microbes*.

2007 est l'année d'une première collaboration avec le Théâtre de la Dame de Coeur, compagnie spécialisée en théâtre de marionnettes surdimensionnées, où elle a travaillé à l'écriture du texte *Les dinosaures ne savent pas lire*.

Son théâtre :

- *Les Apatrides*. Dramaturges éditeurs, 2005
- *Microbes* (2005)
- *Roche, papier, couteau...* Lansman, 2007
- *Les dinosaures ne savent pas lire* (2007)

Elle a également traduit en français *Jamie et Numéro un* (2004), de Paula Wing.

Pour plus d'informations : www.cead.qc.ca

D/2007/5438/599   ISBN : 978-2-87282-598-1

Roche, papier, couteau...

Marilyn Perreault

- Lansman Editeur -

Les personnages :

- Mielke, femme dans la trentaine
- Ali, jeune fille de 12 ans
- Nox, jeune garçon de 13 ans
- Lonely, jeune femme de 15 ans
- Iourded, jeune homme de 17 ans

Le lieu :

Un hangar aménagé grossièrement en salle de classe. Des lampes imposantes descendent du plafond. Une horloge bancale s'y trouve, elle sert à situer les événements dans le temps des journées. Autour de ce hangar-classe, on peut imaginer un village, presque fantôme, d'un quelconque extrême nord. Il fait froid et le temps d'ensoleillement des jours, assez normal au début de la pièce, deviendra de plus en plus court au fur et à mesure que l'automne avance. Un deuxième lieu est suggéré (qu'on peut voir ou non) : l'extérieur de cette classe, c'est l'endroit où l'on rôde. Une fenêtre, difficile d'accès, donne sur cet extérieur.

/// signifie "un temps"
/ marque une coupure dans le débit

JOUR 32 – 10h15

Automne

Mielke est assise à côté d'un lit improvisé, penchée sur un magnétophone. Il y a des bureaux d'école mal disposés un peu partout dans le hangar-classe. Des bouteilles d'un alcool inconnu traînent par terre. Un vent de tempête souffle à l'extérieur et l'on entend un objet frapper contre la porte de cette classe. Bruit d'un avion qui décolle à l'extérieur...

Voix de Iourded *(enregistrée sur le magnétophone)* : Je vais revenir... *(Mielke fait reculer la bande)* Je vais revenir...

Mielke : Quoi ? Parle à moi encore.

(Mielke recule la bande une seconde fois)

Voix de Iourded : Je vais revenir...

Mielke : Ah. J'avais mal fait l'écoute de ça... /// Et la tempête dans le dehors qui arrête pas d'étendre sa neige partout... Elle cogne à ma porte comme si j'allais vraiment lui faire la réponse.

(Mielke prend dans ses bras un amas de couvertures très pesant et se dirige vers la porte. Il y a des taches de sang sur les couvertures et ses vêtements)

Voix de Iourded : Je vais revenir...

(Noir)

JOUR 1 – 9h45

Fin de l'été

Mielke est seule dans la classe. Elle replace un bureau ou deux, ne sait pas elle-même où se placer dans cet environnement.

Mielke : Je les ai rencontrés une seule fois ; ils venaient tout juste de sortir du cargo. Leur boussole ne s'accordait plus avec le nord et... le trop plat du plancher des vaches les faisait vomir partout. Ils ont vu le soleil et ont eu l'air de s'étonner qu'il vive encore, le soleil. Ils étaient recouverts de tout ce qu'un corps peut expulser avec la force des choses. /// On m'a dit qu'ils vont mieux... Ils ont été capables de manger... /// Une drôle de carte postale, ils faisaient ; avec, comme toile de fond, le bord de mer sous zéro de ce pays. La plus jeune des quatre traînait par le bras ce qu'on pensait être un gros ours en peluche. De loin. On s'est trompés. Un petit garçon, c'était, pas plus vivant que peut l'être une pomme dans une nature morte.

Ils seront là... bientôt.

Ils ont dans la bouche la langue de mes ancêtres et je... je suis la seule dans ce village à savoir ce qu'elle dit. C'est... c'est pour cette raison que je suis là. Moi, d'habitude, je distribue de l'aide à l'infirmerie, pas de l'instruction. Je... Mes origines sont brusques. C'est à cause de mon père. Il a passé son enfance en Brusquie et la guerre l'a réfugié au sud de ce continent où les villes sont toutes plus grandes les unes que les autres. Moi, je... je n'ai pas su vivre là-bas. Je suis venue survivre ici... après. Après "l'accident" de mes parents. Mais... /// Ici, c'est bien. Quand la neige plombe, les aiguilles des minutes et des horreurs se foutent de l'ordre dans lequel elles doivent trotter. On vit tous les jours une partie d'éternité... et c'est bien comme ça. Ici, on ne s'en pose pas, de questions.

Bientôt, ils seront là.

Ces quatre jeunes étranges, on... on ne peut pas signaler leur présence à la Gouverne parce qu'ils sont arrivés en même temps qu'une pleine cargaison de vodel. La vodel, une version "des années-lumière" plus pure que la vodka. Absolument interdite à la vente, mais nos gens ici ne peuvent plus s'en passer. Leur efficacité au travail dépend de la carotte qui pend au bout de leur *shift*... de l'alcool qui traîne à la sortie des galeries - pas artistiques du tout - de la mine. On... on a vécu quelques apocalypses ces derniers temps ; le bateau de la vodel a mis trop en retard le moment de se pointer dans la baie. Quand le capitaine a finalement jeté l'ancre et qu'il a vu ce que sa cale contenait... le petit garçon avarié et les quatre autres qui ne savaient plus trop la vie... il a reculé d'un pas, n'a pas fait d'escale, a laissé les cinq petites vidanges et la vodel sur la plage de glace et... et est allé se blottir dans les bras de la mer avec son bateau. Pas responsable, il a dit. Il ne reviendra pas de sitôt... Ça... ça met de la panique dans l'avenir des gens du village...

Ils devraient être là.

Et les jours ont joué à "trois fois passera" avant que les étranges se remettent à parler. Malheur à moi qui comprenais ce qu'ils disaient. Les gens du village se sont tournés vers moi. Ils manquent de travailleurs à la mine ; la vodel a fait ses ravages avec l'hiver sans lumière qui est derrière nous. Ils ont besoin de mains à la pierre. Ils savent que je ne veux plus revoir le Sud et son ciel cruel qui se fait gratter par les buildings. /// J'ai adopté la mission de faire de ces quatre petites identités de véritables Noriens. Ça au cas où l'agent de la Gouverne viendrait faire son petit-tour-et-puis-s'en-va-faire-son-enquête. Il ne vient presque plus, lui. On... on est très seuls entre nous... ici.

(Nox, Lonely, Iourded et Ali entrent lentement. Quatre présences presque inquiétantes dans le fond de la classe)

Ils sont là... armés du regard qu'ils portent depuis six jours. Quatre paires d'yeux dont la rétine ne semble rien garder du dehors. Des iris qui se retournent constamment vers l'intérieur d'eux, là où c'est confortable, où c'est le domaine du connu, et où il a déjà fait chaud. Dans ces quatre dedans-là se trouvent quatre jeunes vieux. Ils ont à peine 12, 13, 15 et 17 ans... et pourtant leurs cheveux sont blancs comme une neige éternelle déposée sur leur crâne. Ils ont toujours froid. On a installé de grosses lampes au-dessus de leurs bureaux. Peut-être qu'un jour, ils auront assez incubé. La petite montagne de peur sur leur tête fondra un peu...

OK. Les présentations. *(Aux quatre)* Bonjour. Je m'ap...

(Les quatre décampent à l'extérieur de la classe)

Ce... c'était presque prévisible. Euh... on... on verra demain.

(Noir)

JOUR 2 – 10h30

Fin de l'été

Les quatre sont dans la classe. Ils attendent. Mielke n'y est pas. Elle les observe plutôt par la fenêtre en tentant de ne pas se faire voir. Elle a une bouteille de vodel à la main. Elle boit.

Nox : *Je* veut partir, Iourded.

Iourded : ...

Nox : Iourded, *Je* veut partir.

Mielke *(à l'extérieur, pour elle-même)* : La peur est là de ce que je ne connais pas. Pour ça que les grandes villes, ce n'est pas pour moi. Pour ça que j'ai troqué la mégapole pour ce petit village de "cinq cent armes" coincé entre Advitam et Ternam. Le problème avec les mégapoles, c'est qu'on ne peut pas connaître tous ceux qui sont contenus dedans. Tous les mondes se mélangent tellement, les frontières deviennent si flexibles qu'on ne sait plus qui appartient à quelle langue et quelle couleur est la bonne...

Faut que je rentre. Ne pas perdre mon travail. /// Relaxer un peu. *(Une petite gorgée. Une grimace)* Pas trop.

Nox : *Je* dit que la Madame, elle viendra pas ici dans le jourd'hui. Alors, *Je* part.

(Nox se lève précipitamment pour sortir. Iourded le rassoit brusquement. Nox voit Mielke regarder à l'intérieur de la classe)

Mielke *(à l'extérieur, pour elle-même)* : Un jour, on n'en peut plus d'entendre les serveurs demander : "Est-ce que vous allez être accompagnée, Mademoiselle ?" - Non, Monsieur. Bien des gens me reconnaissent, mais... je... je ne connais personne. Et mon corps veut crier à faire éclater votre vitrine, Monsieur... Mais ne vous inquiétez pas, je vais rester tranquille à poser devant cette vitrine toujours intacte, à poser mon café comme on pose une question sur la table.

Nox *(plus bas)* : La Madame, elle est là dans le dehors ; elle parle toute seule, la Madame...

Mielke *(à l'extérieur, pour elle-même)* : Avant, je savais, une par une, toutes les personnes qui habitent ici. Je suis celle qui arrive toujours à un des deux bouts de leur vie : celle qui aide à les faire naître et/ou mourir... souvent... /// Mais ces quatre-là... ils dérangent d'être là, ils "grafignent" le paysage que je savais par cœur. Une journée déjà... ils devraient connaître les premières lettres de l'alphabet des gens d'ici.

Nox : *Je* dit encore pour vous qui avez bouché vos oreilles avec de la surdité : la Madame, elle saura bientôt plus comment mettre son pied devant l'autre. *(Il fait le geste de quelqu'un qui boit) Je* dit que la Madame, elle met ses yeux sur nous comme une boîte à lentilles qui surveille...

(Nox se hisse jusqu'à la fenêtre et tombe face à face avec Mielke. Elle disparaît. Nox rit. Iourded le remet à l'ordre)

Je dit que nous, on est des cobayes, mais que nous on connaît pas c'est quoi l'expérience. Nous, on est pris. *Je* aime pas ça. /// Faites la parole, *Je* a les horreurs de faire les monologues.

Iourded : ...

Ali : Iourded, il dit de fermer ta bouche quand tu parles.

Mielke *(à l'extérieur, pour elle-même)* : Vider toute la bouteille pour mettre des messages SOS dedans.

Nox : La Madame fait sûrement la pensée ...

Mielke *(à l'extérieur, pour elle-même)* : Balancer tout ça sur la banquise...

Nox : ...qu'on est des monstres tous les nous ensemble.

Mielke *(à l'extérieur, pour elle-même)* : Je ne serais pas plus avancée.

Iourded : ...

Ali : Iourded fait l'accord de ça : on se rongera pas le frein comme des rats, on s'en va.

(Nox se précipite vers la sortie. Iourded l'arrête)

Mielke *(à l'extérieur, se concentrant pour ne pas tituber)* : Marcher droit devant, ne rien laisser paraître...

Ali *(chuchotant)* : On sort comme de la vraie civilisation, la tête droite sur la vertébrale. On enlève le bruit dans nos pas...

(Au moment où les quatre s'apprêtent à sortir, Mielke entre. Tous vont se rasseoir à leur place. Bruit d'un loquet, Mielke a barré la porte à clé)

Nox : Non !

(Nox se précipite sur Mielke qui tombe à la renverse. Elle ne bouge plus. Du sang perle sur son front)

Ali *(doucement)* : On fait les excuses de ça, la Mad... On voulait pas...

Lonely *(chuchotant à Ali)* : Pourquoi faire ça ? Pourquoi toujours faire les excuses ?

Ali *(chuchotant)* : Elle a pas la menace dans sa grandeur, la Madame...

Iourded : ...

Nox *(trop fort)* : *Je* dit que la Madame...

Ali et Lonely : Chut...

Nox *(plus bas, mais le ton de sa voix monte au fur et à mesure qu'il parle)* : Si la Madame, elle fait pas la surveillance avec ses yeux, *Je* peut aller faire courir ses pieds dans le dehors d'ici. *Je* veut aller voir la neige qui pend des nuages. La clé, elle est où ?

(Nox s'élance vers Mielke, Iourded l'en déloge. Mielke se réveille brusquement et se retire dans un coin de la classe. Silence)

Mielke : OK OK. Je veux pas faire des histoires... J'ai déjà assez d'en raconter. Je voulais pas... Je suis maladr.... Je débarre la... *(Mielke débarre la porte avec nervosité et reste dans l'entrée)* C'est bien, la vie dans ce pays ; j'avoue l'aimer... Vous savez, le pire que je pourrais vous faire, c'est de vous enfoncer dans le fond de la gorge une langue que vous avez pas envie de parler, d'enlever quelques miettes de brusque qui traînent leurs pieds à l'intérieur de vous... /// Vous... vous pourriez être heureux ici.

(Iourded fixe Mielke qui se dégage de la porte. Les trois autres regardent la bouteille qu'elle a laissé tomber lorsqu'elle s'est fait frapper)

Ça, dans la bouteille, c'est pour me réchauffer... *(Elle s'avance pour aller chercher la bouteille, Lonely la prend)* Je... je sais ce que je fais... /// Mon nom, c'est Mielke. Euh... vous comprenez ce que je dis ?

(Ali murmure quelque chose à l'oreille de Lonely qui fait la même chose à Nox qui la fait à Iourded qui acquiesce. Chemin inverse jusqu'à Ali)

Ali : Oui. *(Ali va prendre la clé des mains de Mielke et la donne à Nox)* Là, ça va ? *(Nox acquiesce. À Mielke)* Les intérieurs font la peur dans nous, la Madame. On reste, on fait l'accord de ça ; mais faut toujours nous laisser voir dans le dehors si les nuages fendent le ciel.

(Un temps. Les quatre vont s'asseoir à leur place)

Mielke *(pour elle-même)* : Bon, je commence où ?

Ali : On voit bien que vous avez les deux yeux dans la même bottine ; vous pouvez faire le repos de votre bouche. Vous avez pas le besoin de commencer, on peut le faire d'être capables de ça. Alors, c'est quoi vous avez le besoin de savoir ? Identification ? OK.

Ça, c'est Lonely ; ça, c'est Nox et puis là, dans le finalement plus loin, c'est Iourded. Et puis, celui qui est plus là dans son corps comme une enveloppe que je tenais dans mes bras avant, c'était Mute. Mute, il a eu la mort dans sa face parce que...

Lonely : Ali, c'est ça : pas la langue dans ses galoches. Ali, elle a la fonction de remplir le vide. De plus, elle est la plus petite de nous ; alors c'est elle la première de qui on parle à vous... *(Nox chuchote à l'oreille de Lonely)* "On" exclut la personne qui parle. C'est ça. C'est bon que je le dise, c'est ça que Nox il me dit de dire là... /// Ali, elle est toujours un peu sale. Elle aime traîner partout. Si on fait pas l'attention d'elle, Ali se retrouve souvent à courir le bout des queues des chats dans les marécages. Ici, je sais pas si il y a les chats ou les marécages, mais je dis pareil. Ali, elle a déjà été une noyée après avoir été presque brûlée. Finalement, elle est revenue à nous. Aussi, Ali sait le camouflage. Elle est dans les coins, Ali. Elle fait semblant d'être la poussière, elle voudrait être un meuble ancien, mais elle est pas assez vieille encore... Ali sourit beaucoup et rit aussi, comme si dans le contraire à la réalité, il y avait pas le bout à la vie. Moi, je l'aime bien, Ali. Mais elle dérange de se coller à moi des fois. Elle laisse les traces sur ma robe. Pas avec l'accord de ça, moi... *(Plus fort)* Qu'elle aille voir son grand frère Iourded... *(Elles se ravise)* Mais... pas dire plus parce que je rentre dans la présentation de quelqu'un d'autre... Ce que je finis à dire c'est que vu qu'elle est petite, elle essaie d'entrer dans les bras de tous ceux qui sont les alentours d'elle. C'est ça. Ali.

Nox : Si *Je* dit, est-ce que *Je* peut sortir ?

Mielke : Euh...

Nox : Alors *Je* veut dire maintenant, est-ce que *Je* peut ?

Mielke : Attends.

Nox : *Je* veut dire les choses sinon *Je* va exploser.

Iourded *(regardant Ali)* : ...

Ali : Nox, Iourded il dit la fermer.

Mielke : Attends... euh... Ali ?

Ali : Oui ?

Mielke *(à Nox)* : Toi...

Nox : *Je* veut...

Mielke : Oui, toi je sais que tu veux, mais euh... toi c'est...

Nox : Pas moi, *Je*...

Ali : C'est Nox, lui. N-O-X. *(Chuchotant à Mielke)* Son lui-même s'est perdu dans le noir du cargo, Nox est devenu *Je*. On continue à l'appeler Nox au cas où Nox voudrait revenir.

Mielke : Toi, c'est Iour...

Ali : ...ded.

Mielke : Quoi ?

Nox : *Je*...

Ali *(à Nox)* : Chut ! *(À Mielke)* Ded. C'est son surnom que le père d'avant donnait à lui. Iourded, c'est son nom. Il aime les deux, alors vous pouvez dire les deux. Le nom de famille, il est trop long à cause de justement toutes les familles dans notre curriculum de vie... alors on le dit plus.

Mielke : Hum.

(Silence)

Nox : *Je* est prêt, *Je* peut faire le portrait de quelqu'un, la Madame. De qui *Je* parle, qui *Je* interview, chez qui *Je* intervient ? *Je* veut faire de l'action. *Je* peut dire le dictionnaire des noms propres et des sales noms. *Je* peut présenter tout le monde, faire la fête et tout nettoyer après. En fait, *Je* va y aller avec *Je* parce que *Je* connaît bien *Je*. *Je* vit dans l'intimité avec *Je* depuis beaucoup des années, même si *Je* s'appelait autre chose avant...

Mielke : Wo wo wo, plus lentement, euh... Nox.

Nox : *Je*...

Mielke : Je comprends plus rien, tes mots se suivent et se ressemblent. Je...

Nox : Comme les jours dans le cargo, hein ?

Mielke : Euh...

Nox *(pris de panique)* : *Je* veut pas des mots dans sa bouche comme les jours du cargo ! *Je* veut courir toutes ses jambes en l'air dans le dehors ! *Je* veut pas trépasser son temps à faire la plante prise dans son pot. *Je* laisse Nox ici. *Je* part. *(Nox tente de sortir. Iourded le rattrape) Je* veut pas être pris.

(Nox réussit à se déprendre de Iourded et sort. Iourded sort à sa suite)

Mielke *(vers l'extérieur)* : Mettez au moins quelque chose sur votre dos.

Ali : Ils ont pas le dos assez large pour ça, la Madame.

Lonely *(pour elle-même)* : Pas parler du cargo, Nox, il...

(Lonely va à la fenêtre avec les manteaux. Un temps)

Ali : J'ai la désolation qu'on a la difficulté de vous dire les mots. La noirceur du cargo a avalé notre langue aux chats. Quand elle est revenue, notre langue, elle était encore brusque, mais elle avait visité le pays intérieur de chacun de tous les nous. /// Lonely ? Lonely, viens ici. *(Lonely ne bouge pas. À Mielke)* Je peux parler de quelqu'un aussi ?

Mielke : Euh... oui, mais on va attendre les deux autres...

(Elles attendent en silence. Lonely regarde dehors. Tranquillement, Ali se remet à parler)

Ali : Moi, je porte plus les jupes. Je les ai toutes données à elle qui est Lonely. Elle, elle est devenue grande maintenant. Elle aime les vêtements qui "vêtent" pas beaucoup. C'est pour ça qu'elle porte les miens. Quand elle était petite, elle était encore possible à contrôler. Maintenant, elle peut choisir le matin en s'habillant si elle met ou pas des petites culottes sous sa jupe. Ça, c'est un avantage... euh... social qu'elle a compris qu'elle avait. Je parle de elle, mais c'est Iourded qui la connaît par cœur. Ils ont souvent joué au docteur ensemble.

Mielke : Ça lui arrive de parler ?

Ali : Trop, elle arrête pas de dire les choses qui sont moi à tout le monde...

Mielke : Non, Iourded. Iourded, ça lui arrive de parler ?

Ali : Non, pas Iourded. Sa tête lui a dit de faire la grève des mots sinon il fait mal avec. Il a installé une douane dans sa bouche pour filtrer les phrases. Et puis, il a pas le besoin de parler, je comprends, et moi je dis.

Mielke : Ah.

Ali : Où j'étais dans l'histoire ?

Mielke : L'avantage... les petites culottes sous la jupe.

Ali : Ah oui... Je suis pas quelqu'un qui fait du superficiel avec le slogan de la vie, mais Lonely, en dehors de ses airs d'ange descendu d'une messe basse, elle est terrible et généreuse. Elle laisse traîner son existence partout.

Mielke : Ça lui dérange pas que tu parles d'elle comme ça ?

Ali : Pour le moment, elle entend pas, elle est loin. Où on était dans le monde avant, Lonely était une plus belle fille du village. Le cargo lui a pas fait du bien. Elle a maintenant des dents qui manquent dans la liste des présences. Et puis, elle a ses traits qui tirent vers le moins beau. C'est que Lonely, elle mène une drôle de vie. Elle a des petites morts. Un moment, on l'entend plus parler. L'autre moment, elle est par terre et sa bouche fait de la mousse comme un volcan dans une baignoire avec trop de savon dedans. Elle se répand. Lonely, elle a la gêne de ça. Alors, vous faites la bouche cousue sur la vérité que je dis. C'est juste pour pas que vous soyez pleine de peur si elle tombe ici avec le hasard qu'on connaît bien qui se montre la face des fois quand on veut pas. Lonely... quand elle tombe sur la lune comme ça, il faut la réveiller sinon... Mais moi, je suis un peu tannée de la "tapocher" pour qu'elle revienne... Ça la brise toujours un peu, ça lui fait des "ecchymauves". /// Ça, dans la bouteille, c'est fort, la Madame ?

Mielke : Non ! Prends pas ça !

Ali : Je fais les excuses de prendre ça, mais si c'est bon pour vous, ça peut aussi aller pour Lonely. *(Mielke se précipite sur Ali pour lui reprendre la bouteille de force)* Vous me touchez pas si c'est pas moi qui ai décidé que vous le faites. Compris ? Tiens, bois Lonely.

(Ali fait boire Lonely qui se réveille brusquement)

Lonely : Lâche-moi tranquille. Pas un bébé.

(Silence)

Ali : Moi, je dis qu'ils sont partis faire le tour de la terre. Je sais lire entre les lignes d'horizon. C'est pas dans le tout de suite qu'ils vont revenir. Nox, il court vite. Dans le pays qu'on appartenait avant, on s'ennuyait comme maintenant les jours entiers ; tellement qu'il est arrivé qu'on s'est mis à creuser la terre et qu'on a rencontré l'Atlantide. Les autres mondes du village, ils nous ont dit que ce pays-là avait la fonction de rester une légende. Alors, on a rebouché le trou et on a fermé leurs bouches aux rumeurs. /// La Madame, ici est-ce qu'on peut creuser où on veut ?

Mielke : Euh... oui... mais tu iras pas loin, c'est gelé en permanence.

Lonely : Pas intéressant de faire l'attente. Moi aussi, je suffoque dans le dedans. Je fous le campement dans le dehors pour attendre les autres.

Ali : Tu restes ici ou je vais avec toi.

Lonely : Viens avec moi.

Mielke : Oui, mais vous... vous avez pas appris une seule lettre encore et moi, je veux pas...

Ali : La Madame, demain il y a encore la vie ? *(Mielke acquiesce)* On a le temps de ça.

Mielke : Oui, mais...

Lonely : Ali a dit : demain il y a encore la vie... on a le temps de ça.

Mielke : Oui...

Ali : De toutes les façons, on veut pas que l'exil il coure plus loin qu'ici. On a la fatigue d'être toujours en escale. *(Dans un élan, Ali va se coller sur Mielke)* On installe notre nouvelle vie ici et on va prendre votre nom de famille. On enlève tous les autres qui font le petit train derrière le prénom de tous les nous et on met le vôtre parce que vous êtes la Madame qui s'occupe de nous maintenant. Qu'est-ce que c'est le nom ?

Mielke : Mikailshva.

(Lonely prend la bouteille de vodel en douce, met son manteau et prend aussi celui de Mielke)

Ali : Ali Mikailshva. Moi ça va. Lonely ?

Lonely : Lonely Mikailshva. Ça va aussi. On s'en va.

Mielke : Mais, je... Si vous retrouvez les garçons qui courent...

Ali : Faites-vous pas des inquiétudes. On va les voir dans la nuit si on les retrouve pas avant. Les mondes ici sont drôles, nos lits où on fait le sommeil... eh ben ils les ont séparés. Mis trop loin. On n'entend plus les rêves des autres. Et puis, dans le matin d'aujourd'hui, l'autre personne qui a fait l'accueil de nous a crié de voir qu'on avait fait craquer un lit parce qu'on a tous fait le sommeil dedans ensemble.

Mielke : Ah.

Ali : C'est dans nos "costumes" de faire comme ça ; sinon nos os ont la froidure qui prend dedans...

Lonely : On met les autres comme les vêtements autour de nous. Pas avoir froid comme ça... Bon, on y va.

Ali : Ah mais vous savez bien ça, hein la Madame ? La maman avec ces choses-là *(Elle désigne les seins)* devant elle tout chauds... Le papa avec ses gros bras poilus sur la peau de tous les nous... /// Vous allez bien, la Madame ?

(Mielke sort de la classe et vomit. Lonely prend la bouteille de vodel cachée dans son manteau et boit)

Elle est sortie. La vodel, ça lui a donné le mal de verre... *(À Lonely)* Lonely, arrête de boire toutes les gorgées...

(Ali lui arrache la bouteille et la pose sur le bureau)

Lonely : Ou alors c'est que la Madame, elle a attrapé l'enflure du ventre.

Ali : Quoi ?

Lonely : Toi, t'es le genre d'humain trop petit pour entendre parler de cette maladie-là.

Ali *(s'agrippant à Lonely)* : Moi, je veux être un humain plus grand que la nature. Raconte encore l'explication de la maladie.

Lonely : Lâche-moi les contours, Ali ! Iourded te le redira dans les oreilles si t'as les gentillesses pour le savoir plus.

Ali : C'est bon, t'as pas le besoin de me faire un "essaim", j'ai le cerveau qui bourdonne tout seul. *(Mielke revient)* Ça y est, votre maladie elle est partie ?

(Lonely remet la bouteille de vodel dans son manteau)

Lonely : Pas rester ici jusqu'au demain, on y va sur la suite de nos pas.

Mielke : Euh... dis aux garçons que je voudrais qu'ils me présentent leur personne comme vous avez fait.

Ali : Quand ? Dans le demain d'aujourd'hui ? Ça va être la tâche difficile pour Iourded parce que dans les vraies habitudes...

Lonely : ...c'est Ali qui dit ce que Iourded il a pensé. Rien à redire sur ça ? OK ? À bientôt.

Ali : La Madame, faut pas vous faire des "morrons" avec ça. Je vais trouver les moyens de vous ranger ça en un rien de moment.

Lonely : On vous dit le revoir.

Mielke : Oui, c'est ça.

Ali : Faites le soin des vertiges de votre estomac.

Mielke : Oui. *(Ali et Lonely sortent. Mielke, épuisée, s'assoit à l'un des bureaux. Elle cherche la bouteille de vodel, mais ne la trouve pas)* Où j'ai mis ça ? *(Elle cherche frénétiquement la bouteille. Ne la trouvant pas, elle va pour sortir de la classe, mais son manteau a également disparu. Entrebâillant la porte)* Ali ! Lonely !

(L'écho de cet appel se répand dans la plaine et devient de plus en plus faible)

Lonely *(de l'extérieur, imitant Mielke)* : Ali !

Ali *(de l'extérieur, imitant Mielke aussi)* : Lonely !

Mielke : Ali ! Lonely ! Ce est pas drôle, mon manteau...

Lonely *(de l'extérieur)* : Ali ! Pas drôle mon manteau.

Ali *(de l'extérieur)* : Lonely ! C'est pas drôle mon manteau. *(Nouvel écho des voix des deux filles, puis des rires. Mielke rentre dans la classe. On entend un murmure : Ali joue à Roche, papier, couteau)* Roche, papier, couteau... ha ! Roche, pap... Non, je veux pas jouer maintenant. Nox s'est encore sauvé, c'est dans le mieux que tu t'occupes de lui.

(Lonely et Ali continuent à rôder autour de la classe. Elles rient)

Mielke : Des rires d'enfants qui rôdent dans la plaine comme des souvenirs d'école. Une époque maudite où l'exotisme brusque et quelques bleus me collaient à la peau. D'autres souvenirs aussi, ceux de jeux cruels auxquels j'étais conviée... moi comme un pion qu'on déplace à grands coups de pied. Des causes, des effets puis des comportements qui deviennent adultes et dangereux avec le temps.

(Ali entre)

Ali : C'est OK, la Madame, on a trouvé les outils pour Iourded qu'il fasse ses présentations. *(Elle montre un magnétophone)* Et puis, je vous ramène ça et ça... *(Ali redonne à Mielke son manteau et la bouteille de vodel qui avaient disparu)* C'est... c'est Lonely, elle peut pas avoir la vue de ça, elle a arrosé la neige avec, elle dit que ça va faire pousser des flocons. Mais moi, je la crois pas parce que c'est pas la terre en dessous, hein, c'est la roche. /// La Madame, Mute, les mondes du village ils l'ont mis où ? Même si il vit dans le passé décomposé maintenant, moi j'avais l'envie de l'avoir devant mes yeux. Quand j'étais dans l'autre pays d'avant, on mettait les enveloppes des mondes qui avaient fini la vie dans la terre ; ici, c'est gelé... on peut pas.

Mielke : On fait de la cendre avec eux. Les cendres, on les met dans un pot qu'on va cacher dans le fond de la mine...

Ali : Oh non....

Mielke : Ali ? Mute... c'est qui exactement ?

Ali : Mute, c'est la dernière maladie de la Madame qui s'occupait de nous avant. Mais...

Mielke : Ton frère...

Ali : Non...

Mielke : Iourded, lui, c'est ton frère.

Ali : Oui. Mais Mute, il...

Mielke : Lonely, elle aussi c'est ta sœur ?

Ali : Puis vous, vous êtes qui ?

Lonely *(de l'extérieur)* : Ali !

(Ali se précipite et empêche Lonely d'entrer dans la classe en tenant la poignée de la porte)

Mielke : C'est moi qui pose les questions. Lonely, elle, c'est ta sœur ?

Ali : Non !

Lonely *(à l'extérieur)* : Ali, je veux entrer.

Ali : Non, c'est pas la sœur de moi. *(À Lonely)* Tu peux pas entrer, t'es toute sale ! *(À Mielke)* Lonely, elle est pas dans le clan de nous. C'est celle qui va avoir des maladies avec Iourded. Iourded, lui, il l'appelle son "mal nécessaire". Et Nox non plus, c'est pas le frère de moi. Cherchez pas plus loin pour les liens à nous : quand le ghetto a brûlé, on a tous adopté la même famille, celle de Mute... /// Mais je comprends pas les cendres. Comment ça fait pour être ?

Mielke : On met l'enveloppe, comme tu dis, dans le feu.

Ali : Mais moi, je veux pas de Mute dans le feu ! Mute, il était le plus beau enfant dans le village de où on était. Mute, il peut pas avoir le feu qui court sur sa peau, pas dans ses beaux yeux... C'est pas dans la vie à Mute ça !

Mielke : Mute est mort, Ali... Si on veut pas que les chiens mangent l'enveloppe, on a pas le choix...

Ali : Je veux pas non plus que les chiens ils fassent une bouchée de Mute.

Lonely *(de l'extérieur)* : Ali !

Ali *(à Lonely)* : Chut, Lonely ! On a fini de jouer aux échos. Et puis là, je parle à la Madame.

Mielke : Laisse-la entrer !

Ali : Elle va mettre la boue partout. Pour une fois que c'est pas moi qui la salis. Et puis tant qu'elle parle, on est OK. *(On entend à plusieurs reprises Lonely dire : "Pas drôle, pas drôle". Ali hausse le ton)* La cachette de Mute, la Madame. La cachette, elle est où ? Ça fait mal, le feu sur la peau. L'incendie qui mange le ghetto, les cabanes de tous les nous qui crachent le feu, les flammes qui se font une maison avec mes vêtements... !

Mielke *(tentant de maîtriser Ali)* : Attends, arrête...

Ali : J'ai déjà averti : je veux pas être prise par vous, la Madame. Si vous voulez pas dire les choses comme elles sont, je vais aller chercher Mute comme une vraie solitude dans les champs de pierres.

(Ali se débat, ouvre la porte et sort. Mielke la suit. Un temps. Lonely, un peu perdue, entre. Elle a de la boue plein les jambes et la figure. Elle prend la dernière gorgée de vodel dans la bouteille ramenée par Ali et sort. Noir)

JOUR 2 – 23h30

Fin de l'été

Nox entre dans la classe en courant, Iourded à sa suite. Ils sont tous deux très essoufflés.

Nox : Ali, Lonely et la Madame. Elles sont en état de disparues.

Iourded : ...

Nox : Si *Je* avait pas couru autant, on serait revenus en temps et lieux pour pas passer en dessous du bureau ? Hein, ça que Iourded veut dire ?

Iourded : ...

Nox : Et *Je* aurait pas fait l'essai de chevaucher les filles qui dépassaient des maisons du village. Ça que tu veux dire, hein ? Quelle parole tu peux sortir pour la réplique ? *(Iourded plaque Nox au sol)* Ce que *Je* fait... on appelle ça "aller se faire voir du pays".

(Nox rit. Iourded le plaque de nouveau violemment au sol)

Donne Lonely à *Je. Je* dit plus faire les choses comme aujourd'hui.

(Iourded lui met la main au collet. Mielke entre avec leurs manteaux. Iourded relâche Nox qui part à la course dehors. Iourded va pour sortir, Mielke le retient)

Mielke : Attends ! Tiens... les manteaux... J'attendais que vous reven...

(Mielke et Iourded se regardent. Quelque chose passe dans ce regard)

Laisse-le aller, il aurait assez d'énergie pour faire tourner la terre dans le mauvais sens... *(Petit rire nerveux)* je... je pense. /// Il sait probablement même pas qu'il a froid...

(Iourded tente de se libérer. Moment de gêne. Mielke relâche un peu. Lonely apparaît à la fenêtre. Mielke et Iourded ne la voient pas)

Combien de temps tu vas retenir ta langue de bouger ?

Iourded : ...

(Iourded tourne la tête vers la sortie)

Mielke : Pas d'inquiétude ; il a retrouvé son chemin une fois ; il... Une jungle de neige, ça s'apprivoise vite. On... on se revoit dans le demain... euh... on se revoit demain. Ali a le magnétophone ; parle de toi, raconte-moi comment est devenue la Brusquie... Elle m'habite, mais... je connais pas ça qui m'habite... je... euh...

(Lonely dégringole de sa fenêtre. Iourded se sauve. Soupir de Mielke. Noir)

JOUR 14 – 15h30

Début d'automne

Les quatre sont assis à leur place, tranquilles. Iourded a un annuaire téléphonique et un dictionnaire devant lui. Mielke montre des lettres de l'alphabet norien au tableau.

Mielke : Inar-ziaak.

Lonely, Ali, Nox : Inar-ziaak.

(Iourded écrit dans le dictionnaire)

Mielke : Dioumz-sheu.

Lonely, Ali, Nox : Dioumz-sheu.

Mielke : Etsouvarjyk.

Lonely, Ali, Nox : Etsouvarjyk.

Mielke *(continuant à désigner des lettres au tableau)* : La seule chose que j'ai rapportée de la mégapole : l'annuaire téléphonique. Tous ces gens que je ne connais pas contenus dans un même espace... plus petit qu'un village. C'est rassurant. Ils sont moins bruyants, ils accusent moins, ils font moins peur. Iourded l'a trouvé. Il le lit. Il a aussi pris en otage le dictionnaire. Des barricades de papier. Mon regard passe par-dessus... *(Son regard croise celui de Iourded par accident)* Iourded ne parle pas. Ses yeux crient quelque chose que j'ai sur le bout de la langue... Du charme colore ses pupilles... Quelle couleur a la voix qu'il porte ? Les paroles autour de lui entrent et sortent de sa tête comme le vent dans une maison... au bord de la mer... pendant un été furieux. Il n'étudie pas, il a d'autres pages blanches à fouetter... Mais lesquelles ? Ça...

Ali : Pour les questions qui se posent dans votre tête, si vous voulez savoir, la Madame, Iourded, il sait l'intelligence. Il a fait "l'universatilité". Iourded, il est une "bolle", une tête toute pleine dans laquelle on a fait le mélange savant de connaissances et de génie. Si, la Madame, vous le mettez au four, ça donne un soufflé... et sa tête elle passe plus dans les portes.

(Ali, Lonely et Nox s'esclaffent)

Inar-ziaak, Dioumz-sheu, Etsouvarjyk. Si on apprend assez les leçons, est-ce qu'on va pouvoir faire le travail à la mine comme les autres mondes du village ?

Mielke : Oui. *(Recommençant la leçon)* Lil-aou-tchavé-z.

Ali, Lonely, Nox : Lil-aou-tchavé-z.

Ali : Mais on perdra pas notre brusque comme vous, hein ? C'est parce que vous faites le reniement du pays que vous parlez plus...

Mielke : Parler le brusque, c'est ÊTRE brusque. *(Montrant une autre lettre)* Mioumek-srainz.

Ali, Lonely, Nox : Mioumek-srainz.

Ali : Alors, vous l'êtes plus complètement.

Mielke : J'aime mieux pas répondre à ça. *(Une autre lettre)* Çiza.

Ali, Lonely, Nox : Çiza...

Ali : C'était pas une question...

Mielke : Rouma-i.

Ali, Lonely, Nox : Rouma-i.

Ali : On est pas des barbares.

Mielke *(voyant que Iourded ne suit pas la leçon)* : Iourded ? Est-ce que ça va ?

Nox : Iourded ? Est-ce que ça va ?

(Nox, Ali et Lonely rient. Iourded les regarde ; ils redeviennent sérieux)

Ali : Le mot pour dire oui comme la réponse, c'est comment on fait ?

Mielke : Lei.

Ali : Eh bien, Iourded il dit lei, ça va.

Mielke : Ali, laisse donc Iourded parler tout seul !

(Regard insistant de Iourded vers Ali)

Ali : Ça lui fout. Iourded demande pourquoi vous voulez pas retourner au sud ?

Mielke : J'ai peur des gens.

Ali : C'est pas plutôt les gens qui ont la peur de vous ? *(Regard furieux de Mielke à Ali)* C'est pas moi, c'est Iourded.

Mielke : Qu'il pose lui-même ses questions s'il veut que je réponde.

(Un temps)

Ali : OK. Ça c'est le genre de mot qui fait déborder la phrase. Vous voulez pas que je dise. On va faire parler la bande du nord magnétique. *(À Iourded)* La Madame, elle veut t'entendre dire les choses. *(À Mielke)* Mais vous aurez voulu ça.

(Ali arrache le magnétophone des mains de Iourded et le met en marche. La bande son a plein de ratures comme s'il avait fait l'enregistrement petit bout par petit bout)

Voix de Iourded *(sur le magnétophone)* : "J'aime / les listes moi. J'aime / les collections de / mots. Tous. Les maux aussi. J'aime / avec / les X à la fin. Des maux. Au lieu de mal. J'aime / pas parler de / moi. Je parle / de ceux qui sont les alentours / de moi. Ceux qui faisaient / les parents de nous. Le sourire / de eux avec la vie. J'ai envie / du bonheur de eux à mettre / partout dans / ma figure. Ouvrir le sourire / jusqu'aux oreilles."

(Une grosse rature dans la bande son)

Voix d'Ali *(sur le magnétophone)* : "Quoi, c'est là que t'arrêtes ? *(Voix de Iourded en arrière-plan : "Raconte les parents")* Non ! Iourded, moi je parle pas dans la boîte, aotch ; c'est à toi de faire la continuité... *(Voix de Iourded en arrière-plan : "Dis élargir le sourire. Le cout...")* Non !"

(Une autre grosse rature dans la bande-son. Ali arrête le magnétophone)

Ali : Iourded a raison : c'est mal fait la voix sur les bandes du nord magnétique ; alors je fais la continuité de ça. Le père, il aimait beaucoup les "crapulatrices" et les chiffres. Il a ouvert sa "baiseness" ; lui il disait ça comme ça lui chante, hein. Il vendait l'eau de la neige du pays où on était avant aux Finfinaudois. Il faisait accroire à eux qu'il y avait dedans les minéraux qui allongeaient la jeunesse sur la peau. Et puis, y avait Mute... Mute, c'est moi la mieux qui l'aimais. Il savait mes bras qui étaient chauds autour de lui.

Mielke : Ali, laisse...

Ali *(plus fort)* : Avant qu'on ait le cargo comme maison, Mute, il s'appelait Cute, il était le plus beau enfant, mais ça j'ai déjà dit dans l'hier d'aujourd'hui.

Mielke : Ali...

Ali *(presque crié)* : Moi, je papote, mais je suis pas potable. Les grands peuvent pas m'avaler pour m'arrêter la parole. Ils savent que je continuerais à babiller dans leur estomac. Alors... il était tellement petit Mute qu'il avait juste appris à dire les chiffres. C'est lui qui comptait les gouttes qui disaient le nombre de minutes que la vie elle coulait dans le cargo. Et puis y a eu le jour - ou la nuit, moi je pouvais plus savoir parce que le soleil on savait plus où elle était, la couleur de son ciel...

Mielke : Là, ça suffit...

(Mielke s'élance vers Ali. Iourded protège Ali)

Ali : À un moment où c'est donné, Cute, il a plus parlé ; on a pas aimé qu'il parle plus alors on l'a appelé Mute. Et puis après, il s'est mis à plus sentir bon, comme les parents de nous qui étaient plus là avant qu'on parte...

Mielke : Ali, qu'est-ce que tu dis ?

(Iourded relance le magnétophone au début de la bande, avec le volume à son maximum)

Ali : Moi, j'aime mieux oublier quand je parle les mots, ils vivent une fois et c'est bien fait pour eux.

Mielke : Éteins le magnétophone, Iourded. /// Iourded, le magnétophone !

(Nox prend le magnétophone)

Nox : La Madame, *Je* crois que la machine elle s'arrête plus. Elle va parler jusqu'au demain. *Je* peut aller l'enterrer dehors.

(Nox tente de sortir. Iourded l'arrête. Mielke prend le magnétophone et enlève les piles. Un long temps)

Mielke : OK OK. On... on se calme. /// On va... on va juste placer dans vos têtes un mot ou deux, ce sera déjà ça de pris. *(Elle écrit au tableau)* Me-i-shu... Na, qui veut aussi dire : Je suis ou Moi. Très utile quand il faut s'identifier aux autres gens du village. *(Les quatre ne répondent pas. Elle répète)* Me-i-shu... Na. Je suis ou Moi.

Mielke, Nox, Lonely : Me-i-shu... Na. Je suis ou Moi.

(Mielke écrit un autre mot au tableau)

Mielke : Me-i-te... Na. Tu es ou Toi.

Mielke, Nox, Lonely : Me-i-te... Na. Tu es ou Toi.

Mielke : OK c'est... c'est ici qu'on arrête dans le jourd... aujourd'hui.

(Ali et Iourded sortent. Nox et Lonely traînent sur le bord de la porte)

Nox *(prenant la main de Lonely et la posant sur sa poitrine à lui)* : Me-i-shu... Na *Je. (Nox met sa main sur la poitrine de Lonely)* Me-i-te... Na Lonely.

Mielke *(plus fort)* : C'est ici qu'on arrête aujourd'hui.

(Lonely et Nox partent. Mielke sort une bouteille de vodel et un verre de son manteau. Elle boit. Comme on peut l'épier de la fenêtre, elle se déplace pour être hors de vue. Elle remet les piles du magnétophone et le met en marche)

Voix d'Ali *(sur le magnétophone)* : "...que t'arrêtes ? (Voix de Iourded en arrière-plan : "Raconte les parents")* Non ! Iourded, moi je parle pas dans la boîte, aotch ; c'est à toi de faire la continuité... *(Voix de Iourded en arrière-plan : "Dis élargir le sourire. Le cout...")* Non !"

(Mielke recule la bande et monte le volume)

Voix d'Ali *(sur le magnétophone)* : "...que t'arrêtes ? (Voix de Iourded en arrière-plan : "Raconte les parents")* Non ! Iourded, moi je parle pas dans la boîte, aotch ; c'est à toi de faire la continuité... *(Voix de Iourded en arrière-plan : "Dis élargir le sourire. Le cout...")* Non !"

(Mielke recule la bande et monte encore le volume)

Voix d'Ali *(sur le magnétophone)* : "...que t'arrêtes ?"

(Voix d'Ali à l'extérieur. Mielke arrête le magnétophone pour écouter)

Ali *(de l'extérieur)* : Roche, papier, couteau... ah ! *(Un rire)* Roche, papier, couteau... ah ! Roche, papier, couteau... Là... C'est bon. Nox, Nox court tout le temps ; et puis il porte deux personnes à l'intérieur de lui, il doit être fatig...

(On entend frapper très fort à la porte puis une voix en langage norien. Mielke met la bouteille de vodel et le verre dans son bureau et va répondre à la porte. Une courte discussion en norien puis elle sort. Le magnétophone est resté sur le bureau. Des pas s'éloignent. La scène reste vide. Des pas viennent, différents)

JOUR 14 – LA SUITE

Début de l'automne

Lonely entre dans la classe, elle tient un petit sac de glue dans ses mains. Elle cherche la bouteille de vodel, la trouve et boit à même le goulot. Nox arrive dans l'embrasure de la porte et ferme celle-ci avec la clé qu'il remet ensuite à son cou.

Nox : Me-i-shu... Na... Ça, c'est un autre beau nom pour dire *Je*. Me-i-shu... Na veut avoir Me-i-te... Na Lonely dans son ombre.

(Nox met sa main sur la poitrine de Lonely. Celle-ci la retire nonchalamment)

Lonely : Pas une chose dans le possible, Nox.

Nox : Faut pas dire Nox. *Je*. *Je* est plus fort. *Je* a passé à travers le temps du cargo.

Lonely : Ça que je dis : pas une chose dans le possible que je sois dans ton ombre, *Je*. Moi, je vais être la capharnafemme de Iourded. Lui, mon capharnahomme. C'est pas parce qu'on est plus dans le pays qu'on vient que les règlements ils meurent. Je reste blanche pour Iourded.

Nox : *Je* sait les jeux que toi tu fais pour avoir les petits sacs dans tes mains. Rester blanche, c'est plus la raison...

Lonely *(tentant de se dégager de Nox)* : Je connais bien le dedans de Nox. Nox a le bon fond dans lui, il peut pas faire des choses à moi. Je veux aller dans le dehors...

Nox : Nox est pas là pour faire la défense de toi. Tu restes là avec *Je*. On a pas beaucoup le temps de se prendre en main. *Je* a le besoin de toi pour goûter les autres choses que c'est la vie... *Je* veut connaître la joie des garçons avec toi. On a des atomes déchus ensemble. *Je* le sait.

Lonely : Pas... pas avec toi...

(Lonely arrache la clé au cou de Nox et l'introduit dans la serrure. Elle n'a pas le temps d'ouvrir que Nox la rattrape)

Iourded ! Iourded !

Nox *(tentant de maîtriser Lonely qui ne cesse de se débattre)* : Chut ! Iourded a pas dit non quand *Je* a demandé de donner toi à *Je*. *(Lonely se fige dans les bras de Nox, signe annonciateur d'une crise d'épilepsie) Je* a fait la patience longtemps dans le cargo. *Je* attendait que Iourded il attrape sa mort. Mais lui, il a pas connu le *trépassement*. *Je* peut plus attendre. Ici, tout toi pour *Je*. Nox a parlé de toi à *Je*, il a dit qu'au moment de la Brusquie, tu étais une plus belle fille du village.

(Nox retire la bouteille des mains de Lonely qui tombe aussitôt en crise d'épilepsie. Nox la couche par terre et lui met la tête de côté)

Je peut pas toucher tes lèvres avec sa bouche quand toi tu craches comme ça. C'est pas beau dans ta bouche. *(Nox soulève les habits de Lonely)* Mais c'est beau toi comment c'est fait en dessous.

(Nox se couche en cuiller à côté du corps de Lonely et met ses mains sous ses vêtements)

Ali *(de l'extérieur)* : Roche, papier, couteau... ah !

Nox : Tant qu'on les entend jouer, ils savent pas qu'on est plus là.

Ali *(de l'extérieur)* : Roche, pap... Non, c'est pas dans les règles...

Nox : Est-ce que Nox aussi avait l'amour pour toi ? *Je* serait jaloux de ça.

Ali *(de l'extérieur)* : Quoi ? Non, j'en invente pas des règles...

Nox : *Je* a encore besoin de ces choses-là devant toi. *Je* a besoin de ça dans ses mains et collé sur ses joues.

Ali *(de l'extérieur)* : On a dit : "Pas deux fois dans un jourd'hui".

Nox : Nox a l'ennui d'une enveloppe comme toi tu as.

Ali *(de l'extérieur)* : Tu veux rien de rien comprendre, je m'en vais.

Nox : C'est chaud toi même toute seule pas dans le lit avec les autres. La mère est partie trop dans le tôt. *(Iourded essaie d'entrer. La clé est toujours dans la serrure)* Chut... Chut... Me-i-shu... Na te dit le revoir.

(Nox sort par la fenêtre. Iourded fait tomber la clé de la serrure à l'aide d'un couteau. Il entre, ramasse la clé, voit Lonely, dépose le couteau par terre et la gifle au visage. Premier réflexe, elle s'accroche à lui)

Lonely : Pas... pas d'autres mains qui éraflent la peau... aussi, j'ai soif, tout faire fondre la neige dans le dehors... ma blancheur perdue dedans... boire la neige... Iourded... toi... Pas me laisser dans la solitude... Amène-moi au bout de la glace... Toi et moi au bout de la neige comme deux bonhommes sur un gâteau pour le mariage... Le regard de toi qui plombe sur moi... Pas... pas beaux les nouveaux yeux de Nox...

Nox *(de l'extérieur, paniqué, sa voix vient de loin)* :
Me-i-shu... Na *Je*... Nox.

(À l'extérieur, cris en langage norien. Iourded tente de se dégager de Lonely)

Lonely : J'ai la confiance dans toi, tes mains qui restent sur ton territoire. Pas de défense toute seule...

Nox *(de l'extérieur, sa voix se rapproche de la classe)* : Me-i-shu... Na... Na... *Je* a dépassé les bornes. *Je* fait peur à Nox. Iourded ! Ali !

(Iourded ramasse Lonely sur ses épaules, reprend son couteau et sort)

Iourded !

(Bruit sourd de quelqu'un qui reçoit un coup dans le ventre)

Iourded !

(Autres éclats de voix en langage norien, bruits d'une bagarre et de coups donnés contre la porte. Noir)

JOUR 15 – 9h30

Début de l'automne

Lonely et Ali sont seules dans la classe.

Ali : Lonely, réveille tes yeux, on est dans la classe. On est les premières dans le même heure même poste. Iourded qui fait la gracieuse matinée. Pauvre Iourded, tout brisé dans ses os qu'il est. Bon. Faut encore apprendre si on veut aller retrouver Mute au fond de la mine.

Lonely : Nox... Je...

Ali : Les gens du village, ils se sont occupés du portrait à Nox. Moi, c'est toi que je m'occupe. Hein, Lonely, je suis peut-être dans les petits, mais je sais être la tuteure de ta grande personne quand elle sait plus comment faire la marche, comment savoir respirer et comment dire : "Ça va bien" avec le point d'exclamation gros comme ça à ceux qui demandent : "Comment ça va ?" Faut pas montrer que ça va mal aux étranges ; alors toi tu vas faire la grande fille avec son dos bien droit et ses yeux grand ouverts. J'avais dit que la mode de tes vêtements qui vêtent pas beaucoup, c'est pas bon si tu veux être blanche pour Iourded. Nox, il a un peu sauté sur les occasions que tu lui as données.

Lonely : Je...

Ali *(approchant un sac de* glue *du nez à Lonely)* : Tiens, ça les jeunes qui sont dans les âges de nous disent que c'est bon pour régler les maladies.

Lonely *(repoussant le sac)* : Je sais ça. Pas le seul Nox à avoir ses petites idées derrière sa tête et dans ses mains. Les jeunes mondes du village... Ali, il fait froid derrière le hangar.

Ali : Oui, il fait froid partout ici.

Lonely : Et puis, je suis Lonely, Ali. L'amie des garçons ici. L'amie, la moitié, la mi de qui. Tant qu'à être un mi, j'aurais aimé mieux être le do de quelqu'un et chanter. Pas facile d'être la Lonely-couche-toi-là dans un village de cinq cents perdus, ça laisse des traces plus sales que celles que tu mets sur ma jupe quand tu t'accroches à moi, Ali. Mais je suis utile. Je reçois un litre d'amour dans le ventre pour deux sacs de *glue*, je tiens le coup. Aussi, quand j'ai mal à ma tête, c'est que je deviens une licorne, hein ? Je suis fantastique et je vole, Ali.

Ali : T'en as pas, des ailes, Lonely. Tu vas tomber solide si tu perds aussi tes pédales.

(Ali remet le sac devant le nez de Lonely. Mielke entre)

Mielke : Ali, la neige est rouge partout dehors... *(Voyant le sac de* glue*)* Qu'est-ce que tu fais ?

Ali : Je mets le bâillon sur les petites morts de Lonely pour les empêcher de dire leur dernier mot.

(Mielke enlève violemment le sac des mains d'Ali)

Mielke *(à Ali)* : Où ils sont ? Iourded ? Nox ? Le bruit d'une bagarre hier soir, les gens du village attroupés, les jeunes filles qui crient comme si leur vie leur appartenait plus. On m'a posé plein de questions. Tu as vu ce qui s'est passé ? Et Lonely, qu'est-ce qu'il lui arrive ?

Lonely : La Madame, ici j'ai trouvé le remède pour empêcher ma tête de faire les petites morts. La *glue* dans mon nez, elle monte jusqu'à ma tête, elle colle toutes les idées ensemble ; ma tête trouve que ça fait son bien parce qu'elle fait moins les pensées tout le temps.

Ali : Lonely, elle vide sa peine.

Mielke : Ali...

Ali : Touchez-moi pas.

Lonely : En plus, les souvenirs, ils planent comme la brume qui fait le berceau des bateaux dans la mer. La Madame, je me sens comme la vase sous un lac glacé.

Ali : Lonely, elle fait de la poésie de survie, la Madame.

Mielke : Arrête les blagues, Ali. Des traces de pas qui rentrent et sortent d'ici. Rouges les traces. Qui est mort ? Les gens parlent d'un des garçons à Mielke ; lequel ? Ils ont fait une prison avec ma maison hier, moi dedans.

(Ali amène Mielke en retrait)

Ali *(à Mielke)* : Faites attention aux mots. En les disant trop vite, ils rebondissent partout et on les entend plus. D'abord, vous allez asseoir les fesses que vous portez derrière vous là et je vais expliquer. /// Moi, j'avais prévu que ça c'était une chose dans le possible pour l'avenir de Nox.

Lonely *(pour elle-même)* : Quand j'avais moins d'âge, je collais mon oreille dans les abysses de la baignoire.

Ali *(à Mielke)* : Les gens dans le village, ils l'ont pris la main dans le sac à surprise qu'une jeune fille avait entre ses deux cuisses, qu'ils disent.

Lonely *(pour elle-même)* : Aussi, je prenais le soin à deux mains de mettre l'eau dans la baignoire avant.

Ali *(à Mielke)* : Nox a enfoncé dans une jeune fille ce qu'il voulait mettre depuis longtemps dans Lonely et qu'il a pas pu aller jusqu'au bout.

Lonely *(plus fort)* : La jeune fille elle a crié ses poum... *(Un temps. Pour elle-même)* C'est le bonheur qu'on appelle ça de ne plus être soi. Aussi, il y avait plein de paix dans le royaume aquatique. Plus j'allais là, moins je nageais. Et puis, dans l'après du moment, il y avait plus de baignoire et plus de nageoires du tout. Je suis comme le poisson dans l'eau. Combien ça contient de vies, un poisson ? Moi, je me demande. Si les chats nourrissent leur ventre avec les poissons, ça doit être que les poissons ont plus de vies que les chats. *(À Mielke et Ali)* Comment c'est le chiffre "neuf" en norien ?

Mielke : Quoi ?

Lonely : Comment c'est le chiffre "neuf" en norien ?

Ali : Auf-fivik.

Lonely : Auf-fivik vies a le chat, combien c'est pour le poisson ?

Mielke : ...

Lonely : Auf-fivik vies a le chat, combien c'est pour le poisson ? Pourquoi vous faites l'instruction si vous êtes pas capable de mettre des réponses aux questions ?

Ali *(à Lonely)* : Chut... *(À Mielke)* Un gens du village est arrivé et a vu Nox dans ses habits de nouveau-né en bas de sa ceinture. Les autres gens du village, ils étaient pas heureux de ça. Nox, il a couru ici. Quand il est arrivé à côté de la porte, Iourded était là. Iourded a pris Nox dans ses bras pour lui faire du réconfort. Il savait que *Je* à l'intérieur de Nox avait pas fait ça pour le bien du mal parce que *Je* connaît juste la vie rude comme ça. Alors, les mondes du village ont fait s'éclater de sang le coeur de Nox. C'est comme ça ça marche ici. T'es pas gentil, t'as plus ta vie... Comme dans le chez nous de nous avant. C'est un humain-pas-marqué-nulle-part de plus qui tombe dans la disparition. Nox, il avait été averti de la monnaie de la pièce à payer pour ça...

Lonely : Bon. Est-ce que la classe, il est arrivé le temps de la faire ?

Mielke : Iourded, lui...

Lonely : Ma tête, elle est là à vouloir la nourriture. Les lettres de l'alphabet peuvent entrer, faire des rondes de phrases.

Mielke : Lonely, attends...

Lonely : Aussi, je veux les voir dans ma soupe les lettres de l'alphabet... je...

Mielke : Ali, Iourded, lui est-ce que...

Lonely *(sèchement)* : Iourded, ça va ! Je l'ai vu. Il est parti enterrer le souvenir de Nox dans la mine.

Ali : C'est pas vrai. Il m'avait fait les promesses que j'allais avec lui.

Mielke : Combien de fois il va falloir que je te le répète : la mine, c'est pas pour toi !

Ali : Vous avez dit que nous, on va faire le travail dans la mine si nous, on apprend. J'ai appris... Dioumz-sheu.. Etsouvarjyk. Mei-i-shu... Na Ali ! Lei ?

Mielke : Lei ! Mais quand j'ai dit ça, c'était pour Nox et Iourded. Ce sont des hommes grands qui entrent là.

Ali : Nox est plus là ; et puis moi, les géants, j'ai pas la peur de eux parce que je suis capable de passer entre les pattes de eux. Je sais être le camouflage dans les coins. Je peux pas creuser la terre pour aller chercher Mute, je vais passer par la mine...

Mielke : Ali... Ils sont tous imbibés de vodel ; ils savent plus très bien où creuser pour que les galeries tiennent le coup.

Ali : Comment moi, je peux vous croire, la Madame ? Votre langue aussi fait l'éponge avec la vodel.

(Ali sort. Lonely retient Mielke à l'intérieur)

Mielke : Laisse-moi passer, Lonely. /// Pourquoi vous courez toujours, hein ? Laisse-moi passer... Pourquoi il y a toujours un coup de vent autour de vous ? C'est pas une façon de vivre ça !

Lonely : On vit pas, la Madame ; on fait la survie. Comme vous.

Mielke : Ali !

Lonely : Ali, Iourded, Ali toujours ! Et Lonely, elle ? Hein ? Iourded va s'occuper d'Ali. Moi, c'est vous que je m'occupe. /// Faut pas vous remplir la tête avec des idées, la Madame : Iourded aura jamais le besoin de personne.

Mielke : Quoi ?

Lonely : Je suis pas une lune. Vous avez attrapé un regard de Iourded dans l'autre jour. /// Comment vous avez fait ? J'ai donné mon corps à la science des garçons d'ici, j'ai mis des millions de débuts de bébé dans mon ventre pour Iourded, qu'il tourne ses yeux sur moi.

Ali *(de l'extérieur)* : Je veux y aller !

Mielke : Ali !

Ali *(de l'extérieur)* : OK.

Lonely *(empoignant Mielke)* : Ali viendra pas. Ali traîne à côté de Iourded comme un ami imaginaire qui s'assume pas. Mais... pas changer de sujet, la Madame. Comment c'est le secret des yeux de Iourded qui tombent sur vous ? *(Elle sort un couteau de sa poche)* Vous dites ça ou je dessine des fleurs de sang sur votre chemisier, la Madame.

Mielke : Ça se dit pas, Lonely, ça arrive...

(Lonely se fige)

Ali *(de l'extérieur)* : Roche, papier, couteau... Ah !

Mielke : Lonely...

Ali *(de l'extérieur)* : Roche, papier, couteau... Ah non.

Mielke *(giflant Lonely)* : Lonely...

Ali *(de l'extérieur)* : Roche, papier, couteau...

Mielke : Lonely... Lonely réveille !

Ali *(de l'extérieur)* : Lonely ? Non, je veux pas... Oui, aller dans la mine... *(Le couteau tombe des mains de Lonely en proie à une crise d'épilepsie)* OK. Va, va pour...

Mielke : Ali ! *(Iourded entre)* Ali, où elle est ?

Iourded : ...

Mielke : Pourquoi tu l'as pas... Occupe-toi de Lonely, je vais chercher Ali.

(Mielke sort. Iourded place Lonely sur le côté et pose son manteau derrière sa tête. Iourded ramasse le couteau et se relève. Noir)

JOUR 15 – 10h00

Début de l'automne

Il fait noir à l'intérieur de la classe. À l'extérieur, Ali est agrippée à Mielke et Iourded a un sac de glue *dans les mains. Impossible d'ouvrir la porte de la classe, la clé est dans la serrure et Iourded n'a pas son couteau.*

Mielke *(de l'extérieur)* : Tu l'as laissée là toute seule ?

Iourded ...

Ali *(de l'extérieur)* : J'ai la peur, j'ai la peur dans moi plein. Des labyrinthes de noirceur... mes yeux perdus dans les roches de la mine... un cargo en pierre... de la "catastrophobie"...

Mielke *(de l'extérieur)* : C'est fini... calme-toi.

(Mielke tente de remettre Ali par terre)

Ali *(de l'extérieur)* : Non ! Lâchez-moi pas !

Mielke *(de l'extérieur)* : Lonely, ouvre la porte... on gèle dehors. Ouvre ! Iourded t'a apporté quelque chose... Ça va t'aid...

Ali *(de l'extérieur)* : Iourded dit qu'il pouvait pas la réveiller. La crise, elle était plus forte que dans les habitudes à Lonely. Il a pensé à la vodel, il a juste trouvé la *glue.*

Mielke *(de l'extérieur, à Lonely)* : Lonely, c'est pas drôle. Ali, monte sur les épaules de Iourded, tu vas...

Ali *(de l'extérieur)* : Noooooon ! Je veux rester dans le calme des bras de vous, la Madame. C'est bien là, c'est chaud là, c'est un abri...

Mielke *(de l'extérieur)* : Iourded...

Ali *(de l'extérieur)* : Iourded ?

(Iourded casse la vitre de la fenêtre et entre. Il allume la lumière. Lonely est étendue par terre. Elle a un couteau dans l'une de ses mains. Ses poignets ont été tailladés. Iourded demeure figé)

Mielke *(de l'extérieur)* : Iourded ? Iourded, qu'est-ce qui se passe ? *(À elle-même)* Comme s'il pouvait te répondre... *(À Iourded)* Ouvre la porte, Iourded... Iourded !?

(Iourded ouvre la porte de la classe. Noir. Une plainte dans ce noir se transforme en échos)

Ali *(de l'extérieur)* : Roche, papier, couteau... Non, non, non. Je le connais en norien maintenant... Treiqaj, wwem, sujvao... Lei. Treiqaj, wwem, sujvao... ah ! Treiqaj, wwem, sujvao... Va falloir arrêter... OK. OK. Tuhdasj, Insdiu, Psdoti, Unisdau, Mlkaort ont les misères à se tenir debout... T'as raison, Iourded.

JOUR 26 – Midi

Automne

Mielke et Ali sont seules dans la classe. La fenêtre brisée a été remplacée avec les moyens du bord. Ali fait la classe à trois petites urnes. Une bouteille de vodel traîne par terre.

Mielke : Combien de temps que Lonely et Nox ne sont plus là ? Je ne sais plus. Le vide s'est définitivement installé dans la classe. La tranquillité aussi. Plus de cris, plus de pleurs. Les gens du village m'ont remplacée à l'infirmerie pour que je m'occupe "mieux", qu'ils disent, des deux qui me restent.

Ali : Moi, c'est vous que je m'occupe ; vous allez faire la grande fille avec son dos bien droit et...

Mielke : Merci. C'est beau Ali. Ça va. *(Ali retourne à son jeu)* Depuis son escapade dans la mine, elle me suit partout comme un petit chien... On s'attache à ces choses-là. Elle fait la chaleur autour de moi, et moi je continue à lui enseigner. C'est du troc et c'est humain. /// On ne voit presque plus Iourded. Il refuse toujours de parler. Il a commencé à travailler à la mine quand Lonely est décédée. Les gens du village le font travailler beaucoup. Il passe le reste de son temps à lire le dictionnaire et l'annuaire téléphonique de la mégapole.

Ali : Il les apprend par cœur.

Mielke : Quoi ?

Ali : Le dictionnaire et l'annuaire, il les apprend par cœur.

Mielke : Hum. Hier, il a rajouté un mot qui manquait : "traumutisme". J'ai eu beau lui dire que ce mot-là ne faisait pas partie de la langue d'ici. "Traumutisme" existe maintenant dans le dictionnaire au gros crayon feutre noir, bien lové entre les mots "traumatologiste" et "travail". La définition se trouve quelque part dans la tête de Iourded.

Ali : Ça fait mon inquiétude, Iourded, il est pas là à revenir.

Mielke : Depuis le dernier éboulement, chaque jour est la même chanson. Ali attend le retour de Iourded. Le "Ça fait mon inquiétude" comme un refrain. Ali a compris ce que c'est qu'un mur du son. Elle est en train d'en construire un solide entre le silence, le vide et elle. Il y a des mots dans chaque centimètre cube.

Ali : Pourquoi vous avez fait le sauvetage de moi ? Y a personne qui l'a fait avant, à part Iourded. Il est mon frère, c'est dans les normalités qu'il fasse ça. Mais vous...

Mielke : J'aime quand tu es...

Ali : Pourquoi la vodel si je suis là pour vous réchauffer ?

Mielke : Tu es encore une enfant, tu donnes pas encore assez de chaleur.

Ali : Ah. /// Iourded, lui, il a perdu son enfance. Il pourrait peut-être vous faire la chal...

Mielke : Toi, c'est ton temps que tu perds. Dis pas des choses comme ça.

Ali : Ah. Comment on dit : "Espèce de tête de tuque !"

Mielke : Ali... c'est "tête de Truc" qu'on dit. Ils viennent de la Truquerie, ces gens-là.

Ali : "Espèce de tête de Truc", ça se dit comment d'abord ?

Mielke : Kiou.... Liou shoua... lagnia.

(Ali prend l'urne de Nox, lui met un mini-bonnet d'âne sur le couvercle et va le placer dans un des coins de la classe)

Pour arrêter Ali de harceler constamment Iourded avant qu'il ne parte au travail, j'ai remonté à la surface les trois petits pots de cendres dans la classe. Nox, Lonely et Mute sont maintenant avec nous. Ali fait le clown, elle enseigne aux petits pots. Aujourd'hui, elle apprend aux cendres de Mute à dire les chiffres en norien pour qu'il arrive à compter le temps de l'éternité.

Ali *(parlant à l'urne de Mute)* : Mô-a. Non ! C'est pas Auv-vivik. C'est Auf-fivik. "Neuf", c'est dans mon idée que c'est pas difficile ça.

Mielke : Des fois, elle se fâche.

Ali *(parlant à l'intérieur de l'urne de Mute)* : T'as rien dans la tête, mon vieux ? Si tu continues, je te jette aux minous du plancher. *(Ali approche l'urne de son oreille. Puis, satisfaite)* Bon... /// Tu te souviens la leçon de l'autre semaine, les noms des mondes du village : Tuhdasj, Insdiu, Psdoti, Unisdau, Mlkaort...

Mielke : Ali a même appris à Nox, Lonely et Mute le jeu de Roche, papier, couteau... en norien. Elle l'a chanté "avec eux" il y a quelques jours en rajoutant les noms de certaines gens du village. Comme un pressentiment, ceux qu'elle avait nommés sont morts dans la mine la journée suivante. La vodel donne le vertige et tous ceux-là continuent à bûcher dans la roche en espérant trouver un scintillement dans le noir. Les hommes s'éteignent parmi les pierres. Les femmes font flotter le souvenir de leurs disparus dans l'alcool. Des enfants errent déjà dans le village. Et moi qu'on empêche de travailler à l'infirm... C'est un petit monde qui s'écroule. Ali, Iourded et moi, debout au milieu de tout ça, comme une île qui dérive.

Ali *(parlant à l'urne de Mute)* : Ça, c'est peut-être Iourded qui fait pas bien le travail pour jeter les pierres sur les mondes du village. Elle est gourmande la petite voix dans la tête à Iourded, hein Mute. Toi, elle t'a tombé sur la tomate, la petite voix, et elle a mis du rouge partout hein. Moi, je voulais pas ça.

(Iourded entre, dépose un gros sac par terre et fixe Ali du regard. Mielke va pour sortir)

Les mondes du village en ont assez, ils vont nous envoyer au sud. D'ici le temps d'une ligne de calendrier, les avions vont arrêter de crever les nuages pour l'hiver. Les gens du village, ils vont faire le profit de l'occasion en nous envolant retrouver tous les mondes tout croches au sud.

Mielke : Non, ils peuvent pas vous envoyer là-bas ; vous avez même pas...

Ali : Vous aussi !

Mielke : ...

Ali : Ils disent que les Brusques sont une vraie malédiction, que c'est la faute de tous les nous si le village perd ses habitants...

Mielke : Je suis pas brusque, je fais partie de la vie d'ici.

Ali : Ils sont pas fous, ils se souviennent du nombre beaucoup de personnes qui ont décédé pendant que vous faisiez l'aide à l'infirmerie. /// Ils ont pris l'otage de votre maison... des haches attaquent le bois dans le moment. Si j'étais vous, je resterais ici, ils sont des enragés.

(Mielke sort. Iourded assoit Ali sur une chaise)

T'es pas tanné Iourded ? *(Un temps puis elle entame un Roche, papier, couteau en norien)* Treiqaj, wwem, sujvao... Treiqaj, wwem, sujvao... Treiqaj, wwem, sujvao... Sdygut, Bixziat, Mnoraw, Loiutat... *(Iourded claque Ali)* Pas plus, Iourded. Y en a assez pour cette fois-ci. De toutes les façons, comment on va faire, bientôt, on pourra même plus sortir, ils surveillent déjà. /// Cette nuit ? Ici, c'est toujours la nuit.

(Noir)

JOUR 27 – 1h00

Automne

Ali est couchée, seule, dans un coin de la classe. Elle dort. Grand fracas. Mielke entre. Elle porte dans ses bras des morceaux de tôle et un sac plein de couvertures.

Ali : Vous venez faire l'existence avec nous ? Vous allez devenir la capharnafemme de Iourded. *(Mielke continue d'entrer les morceaux de tôle dans la classe)* Môôôô-a ! Non ! Pas barricader la classe... On va partir... Iourded dit une nouvelle vie au sud.

Mielke : Crois-moi, personne veut partir là-bas.

(Mielke force Ali à respirer dans un sac de glue)

Je "fais les excuses de ça", Ali, mais c'est chacun pour soi. Si moi je retourne au sud, c'est comme mettre des tas de barreaux autour de moi. Le sud, c'est comme un cargo en pleine mer pour des années. Les yeux de tous les gens qui accusent : "C'est elle, la jeune fille qui a fait le carnage dans sa maison. Du sang partout. Le père d'un côté, la mère de l'autre". Si j'avais pas tué celui qui est mon père, c'est lui qui m'aurait... De la légitime défense, c'était. J'ai défendu ma mère. Tu comprends ça, Ali !

(Ali se débat)

Ali : Quand le village ici, il sera devenu un champ de pierres très précieuses, mais aussi très tombales, qu'est-ce que vous allez faire, hein ? Rester dans la solitude ? Vous enfoncer dans le désert blanc qui entoure tous les nous comme un étouffement ? Et le pays d'ici qui répète tout le temps, avec ses hivers sans fond, qu'il veut pas faire l'hospitalité à la race des humains ?

(Iourded entre, retire Mielke de Ali et la menace de son couteau. Lutte brutale entre Iourded et Mielke)

Mielke : Est-ce que je peux juste avoir la paix, Iourded ? Je rêve tellement d'un monde tranquille où ce sont les trains qui regarderont passer des troupeaux. Vas-y Iourded... Déchaîne-toi... Parle avec tes poings, tes mains, tout ce que tu veux ! Regarde : ça, le couteau dans le ventre ou retourner au sud, ou rester ici avec vous, ou n'importe quoi d'autre, ça va donner le même point final. Ça va m'ouvrir le ventre. Ça va chavirer les tripes. Faire un nœud avec les tripes, solide. Me pendre avec le noeud. Vas-y, Iourded, plante-le comme il faut, là où la peau a déjà été entamée pendant que je naissais. Le nombril, c'est bien ça la première blessure de la vie ? Et tout ce qui se cache derrière cette blessure-là, y as-tu pensé ? Alors, tu vas faire quoi, Iourded ? Tu as préparé ta décision ? Amener Ali au sud ? Là-bas, ça marche droit, vous aurez besoin d'une identité que vous avez même pas sur papier. Existez-vous vraiment ? Vous serez des Brusques parmi tant d'autres dont on veut pas ! Rendus là-bas, vous allez repartir sur un bateau pour un autre exil qui coûtera une autre vie. Celle d'Ali ou la tienne ? Qui s'occupera d'elle ? Hein, Iourded ? Qui l'aimera assez pour la garder dans ses bras jusqu'à ce qu'elle ait toutes les années qu'il lui faut pour se tenir debout toute seule ? /// Moi, je peux le faire ! Moi, il me reste juste ça à faire ! /// Est-ce que tu pourrais enlever tes pieds de mon chemin ? J'ai une classe à barricader...

(Noir)

JOUR 32 – 5h00

Automne

Une tempête fait rage à l'extérieur. L'électricité manque. Une chandelle s'allume. Mielke est assise dans un petit lit improvisé. Au centre de la pièce, un autre lit improvisé, grand celui-là, où dorment Ali et Iourded. Mielke est très mal en point.

Mielke : Mon sommeil s'éclipse depuis cinq nuits, mais je résiste. J'ai froid. J'ai peur. Un hiver s'installe. Mon monde rapetisse. L'avion part demain. Qu'est-ce que je fais là... Je suis sortie une dernière fois de la classe pour voir courir la liberté... J'aurais pu me cacher dans les débris de ma maison construite de vent, mais Ali m'attendait. Quelqu'un s'attachait à moi. On se terre dans ce qu'on appelle maintenant notre cargo-classe. Tous les avions du monde pourraient décoller d'ici, jamais nous ne serions du voyage. Iourded vient en prime avec Ali. Elle m'a mariée à lui hier. Nous sommes devenus, à nous trois, une petite famille. Elle a tout fait pour que je me sente à l'aise. *(Montrant l'urne de Lonely)* Elle a mis Lonely à côté de mon lit pour me tenir compagnie. *(Le temps d'un sourire)* Ils dorment bien... La respiration lente de Iourded plane. Je n'ai plus de vodel pour me réchauffer. /// Mon envie d'aller faire le vêtement à côté d'eux. Ali... toute petite et... Iourded. Mes jambes voudraient sortir de ce lit pour enjamber l'autre. Prendre toute la place. Me réchauffer autrement. Mais un doute construit sa demeure et je reste là à me rappeler la bouche de ma mère qui parle toute seule : "Un rien t'habille, ma fille ! Un vaurien te déshabillera tout autant !" Son vaurien à elle lui a cambriolé la vie, je me suis vengée. Mon cœur gros comme un tank. J'ai peur de ce que je ferais d'un homme dans un lit. Iourded cache la vodel. Bien retenir ma respiration.

(Chancelante, Mielke se dirige vers le côté du lit où se trouve Iourded. Pendant qu'elle cherche dans un sac près du lit, Iourded se réveille)

Iourded *(tendant une bouteille à Mielke)* : Ça / que vous cherchez / dans le désespoir / de cause.

(Mielke prend la bouteille et va se réfugier dans son lit improvisé. Elle boit. On dirait un animal)

Mielke *(à Iourded sans même le regarder)* : Tu parles, Iourded...

Iourded : Je parle / quand c'est / important.

Mielke : Ce soir, c'est important ?

Iourded : Oui. *(Un long silence)* Dans l'autre / la vie d'avant où vous / faites l'institutrice / vous saviez comment / soulager les mondes qui ont mal. *(Mielke acquiesce)* Est-ce que / vous soignez /// les traumutismes ?

Mielke : Je sais pas ce que c'est, les traumutismes, Iourded.

Iourded : Les cauchemars qui font la réalité même / le jour. La petite / voix comme Ali qui / s'emporte, qui parle quand elle veut. Comme quelqu'un / qui / me suit derrière ma tête. Quelqu'un / qui me crie.

Mielke : C'est le vent, Iourded...

Iourded *(montrant la bouteille de vodel)* : Ça / dans la bouteille / ça règle le vent / qui souffle / parle dans la tête ?

(Iourded montre toutes les bouteilles de vodel qu'il cache sous le lit)

Mielke : ...

Iourded : Oui ?

Mielke *(avec dépit)* : Oui.

(Iourded prend une bouteille et boit. Mielke le regarde avec insistance)

Iourded : Il y a quelque chose / écrit / dans mes yeux ?

Mielke : Non, c'est la première fois qu'il y a du son sur ton visage.

(Un temps. Ils se regardent tous les deux et boivent. Ellipse de temps. La flamme d'une dernière chandelle chancelle tellement il y a du vent. On entend des rires dans la pénombre. Mielke et Iourded ont trop bu)

Iourded : Je supporte pas... la souffrance qui ronge... ni la joie trop extrême...

Mielke : Moi, je l'aide, la souffrance, à arrêter de crier sur tous les toits qu'elle existe...

Iourded : ...en suicidant... ceux qui sont malades... dans les intérieurs d'eux...

(Un temps)

Mielke : Pourquoi tu dis ça ?

Iourded : Je dis pas beaucoup les paroles... mais j'entends les rumeurs qui rôdent...

Mielke : En Brusquie, l'euthanasie est le droit légal de ceux qui souffrent.

Iourded : Mais... c'est pas comme ça ici. /// Faut pas regretter ce qu'on fait... faut pas renier... d'où on vient, faut pas que... vous arrêtiez de parler... le brusque, le vrai...

Mielke : Parler brusque, c'est me rappeler ma barbarie.

Iourded : C'est beau... une femme barbare.

(Un long temps)

Mielke : Iourded, mon froid dans le dedans est parti, t'as... t'as pas le besoin de placer tes bras sur les contours de moi... de mettre tes lèvres sur la buée qui sort de ma bouche... que tes mains fassent la promenade entre mes cuisses. Y a la froidure qui fait aussi l'otage de toi ? Mes peurs, allez jouer à la cachette dans les tranchées d'une guerre à finir... le contrôle.... il fait la fuite de mes mains comme le sable d'une plage que j'ai jamais vue...

JOUR 32 – 7h00

Automne

Mielke dort dans le grand lit improvisé près de Ali et Iourded. La scène qui suit se passera en chuchotements.

Ali : Iourded, il fait froid dans moi... je suis pleine d'hypothermie.... Non...

Iourded : Juste une dernière fois avant de partir.

Ali : Non, je sais ce que tu veux.

Iourded : Après, je te laisse faire le sommeil.

Ali : Moi, c'est une famille que je voulais, je l'ai.

Iourded : OK ?

Ali : ...

Iourded : C'est oui ?

(Un temps)

Ali : OK... Mais tu l'auras voulu.

Iourded : Roche, papier, couteau... Roche, papier, couteau... *(Petit rire d'Ali)* Roche, papier, couteau...

(Un temps)

Ali : Ali... C'est Ali qui s'en va faire dodo.

(Ali rit)

Iourded : Tu triches. C'est elle qui perd...

Ali : Non. J'ai perdu maintenant.

Iourded : T'as perdu...

Ali : C'est le jeu qui décide, Iourded... C'est tout. /// Oui ?

Iourded : Oui. J'ai compris. C'est ça que tu veux.

Ali : Oui.

(Un temps)

Iourded : Bon dodo, Ali.

Ali : Mets Mute à côté de moi.

Iourded : J'ai déjà l'ennui de toi...

(Noir complet)

JOUR 32 – 10h15

Automne

Lumière aveuglante d'un petit matin boréal. Le vent souffle toujours à l'extérieur. Un objet quelconque cogne contre la porte. Mielke se réveille. Elle est confuse et couverte de sang. Ali gît à ses côtés à demi-consciente.

Mielke : Ali... Ali...

Ali : Iourded, il est parti. Tout le monde y a passé : Mute... Nox... Lonely... il a délesté le village d'une partie de ses habitants... il a joué à Roche, papier, couteau... avec moi et, pour une fois, c'est moi qui ai perdu. J'aurais pu me sauver...

(Ali s'évanouit)

Mielke : Parle à moi encore... qu'est-ce que tu disais ? Ali, Ali, qu'est-ce que tu disais ? Continue de me dire les paroles...

(Mielke tente d'arrêter les saignements avec des bouts de couvertures)

Ali : Vous parlez notre brusque ? ... Iourded a eu la réussite de vous convaincre. Il a la persuasion comme un talent... /// Moi, avant, j'étais la petite voix qui parlait le plus fort dans la tête de lui. Roche, papier, couteau... est un petit jeu dangereux qu'on a fait l'invention à deux. Les personnes qui sont les alentours de nous jouent sans le savoir. J'ai perdu le contrôle du jeu et de Iourded. J'ai menti. Hier, c'est pas moi qui ai perdu, c'est vous. Mais vous avez sauvé la vie de moi dans la mine, vous avez pris le soin de moi. J'aurais aimé continuer cette vie-là pour ramasser plus encore l'amour de vous...

Mielke : Accroche-toi, je t'emmèn...

Ali : Lâchez-moi. La vie elle est trop lourde dans moi. J'ai perdu hier et je veux continuer à perdre aujourd'hui. Je souffre, j'ai le droit de mourir. Mais Iourded, lui, il court là. Il a pris le goût à ce besoin-là de tuer et ça revient, et c'est dans lui, toujours. Je suis presque plus là, il a plus besoin d'un jeu pour y arriver. Il a laissé ça à vous. *(Elle a le magnétophone dans ses mains)* Il est parti avec le dictionnaire et l'annuaire du téléphone de la mégapole. Poursuivez-le, il est un danger qui court vite. L'avion, c'est aujourd'hui...

Mielke *(tentant de couvrir Ali du mieux qu'elle peut)* : Ali ? Ali. Continue les paroles. Dis les choses... dis que Iourded a pas fait la préparation de son itinéraire... dis...

Ali : Moi je dis plus rien. Moi, je suis fatiguée.

(Ali meurt. Le magnétophone tombe des mains de celle-ci et se met en marche. Bruit d'un avion qui décolle à l'extérieur)

Voix de Iourded *(sur le magnétophone)* : Je vais revenir...

(Mielke recule la bande)

Voix de Iourded *(sur le magnétophone)* : Je vais revenir...

Mielke : Quoi ? Parle à moi encore.

(Mielke recule la bande une seconde fois)

Voix de Iourded *(sur le magnétophone)* : Je vais revenir...

Mielke : Ah. J'avais mal fait l'écoute de ça... Et la tempête dans le dehors qui arrête pas d'étendre sa neige partout... Elle cogne à ma porte comme si j'allais vraiment lui faire la réponse.

(Mielke ramasse le corps d'Ali et se dirige vers la porte de la classe : là où l'on entendait cogner. Mielke ouvre la porte et demeure figée. Iourded est pendu, là, le dictionnaire et l'annuaire téléphonique à ses pieds)

Voix de Iourded : ... mais quand vous me reverrez, j'aurai réussi mon exil et j'aurai même changé de nom. Je serai devenu Iamded. J'aurai réussi à devenir plus grand, à en avoir fini avec toutes les petites voix qui n'arrêtent pas la chicane dans ma tête. Je pourrai enfin parler librement sans coder mes paroles. Je serai enfin seul... Pendant que vous écoutez ceci, vous êtes probablement seule au milieu de ce blanc nulle part, avez-vous une idée de ce que vous ferez ? Mes peurs de voir la souffrance me disaient de tuer ceux qui étaient les alentours de moi. J'espère que les vôtres seront plus compréhensives avec l'humanité...

Fin

Remerciements

Merci à Jeannie, Susie, Mary, Eva, Denise, Alacie (et ceux que je pourrais oublier) de m'avoir fait découvrir un pays dont je rêvais sans le savoir.

Merci à tous ceux qui ont fait en sorte que ce texte existe et évolue : Nadine Desrochers et l'équipe du CEAD, Gill Champagne et le Théâtre du Trident, Marcelle Dubois et son Festival du Jamais Lu, Marc Dumesnil et Annie Ranger du Théâtre I.N.K., Michèle Rouleau et Claude de Grandpré du Festival de Théâtre à l'Assomption, José Pliya et l'équipe de Etc_caraïbe, Lise Vaillancourt et ses Fenêtres de la création théâtrale, Anne-Marie Provencher ainsi que tous les comédiens et metteurs en scène attentionnés qui ont si bien travaillé lors des différentes lectures publiques de ce texte.

Merci particulier à Émile Lansman et son équipe pour leur confiance.

Marilyn Perreault

Lansman Editeur

65, rue Royale B-7141 Carnières-Morlanwelz (Belgique)
Téléphone (32-64) 23 78 40 - Fax/Télécopie (32-64) 23 78 49
Courriel : info@lansman.org
www.lansman.org

Roche, papier, couteau
est le 599e ouvrage
publié aux éditions Lansman
et le 186^e
de la collection "Nocturnes Théâtre"

Les éditions Lansman bénéficient du soutien
de la Communauté Française de Belgique
(Direction du Livre et des Lettres)
et de l'Asbl Promotion Théâtre

Composé par Lansman Editeur
Achevé à l'imprimerie Daune (Morlanwelz)
Imprimé en Belgique
Dépôt légal : juin 2007